할아버지의 비밀 선물

SEOUL, 2009

할아버지의 비밀 선물

초판 제1쇄 발행일 2009년 3월 10일
초판 제41쇄 발행일 2022년 3월 20일
글 수지 모건스턴 그림 장프랑수아 마르탱 옮김 이정주
발행인 박헌용, 윤호권 발행처 (주)시공사
주소 서울시 성동구 상원1길 22, 6-8층 (우편번호 04779)
대표전화 02-3486-6877 팩스(주문) 02-585-1247
홈페이지 www.sigongsa.com/www.sigongjunior.com

ISBN 978-89-527-8693-7 74860
ISBN 978-89-527-5579-7 (세트)

할아버지의 비밀 선물

수지 모건스턴 글 | 장프랑수아 마르탱 그림 | 이정주 옮김

시공주니어

차례

한국의 어린이 독자들에게

"사랑하는 손녀야, 할아버지가 선물로 얌츄치클을 주마."

내가 어렸을 때, 우리 할아버지는 내가 할아버지 마음에 쏙 드는 일을 할 때면 '얌츄치클'을 주겠다고 약속하곤 했어요. '얌츄치클'이 무엇인지는 알려 주지 않은 채 말이에요.

평생 동안 난 그 신비로운 선물이 무엇일지 기대하고 기다렸지만, 할아버지는 진짜로 얌츄치클을 준 적이 한 번도 없어요. 하지만 햇볕이 내리쬐는 눈밭을 거닐 때, 좋은 친구들과 시간을 보낼 때, 그리고 책에 흠뻑 빠져들 때, 그 행복한 순간에 나는 스스로에게 이렇게 말했지요.

'어쩌면 이 즐거운 순간이 바로 얌츄치클일 거야.'

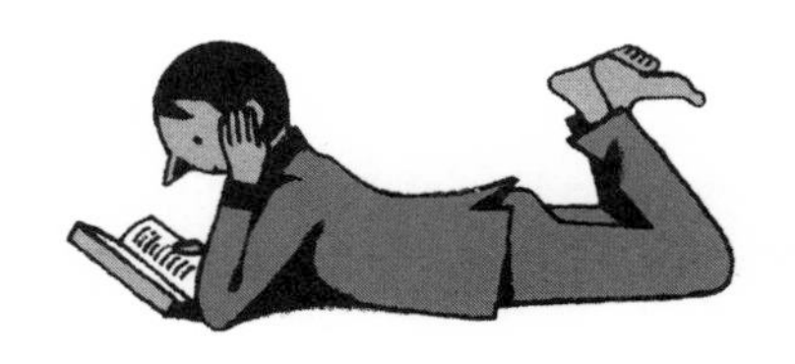

이 작품을 읽은 프랑스와 스위스의 어린 독자들은 할아버지가 손자에게 선물한 얌츄치클의 정체가 무엇인지 알고 난 뒤, 매우 실망했어요. 그래서 자기 맘에 드는 결말을 다시 만들어 내기도 했지요.

종종 아이들이 지어낸 결말이 내가 생각한 것보다 나을 때도 있었어요! 하지만 내 얌츄치클은 내 삶에서 가장 아름답고 소중한 것이랍니다.

이 책을 읽는 한국의 어린이 여러분도 선생님보다 더 좋은 생각이 있는지 찾아보세요.

여러분의 얌츄치클은 과연 무엇인가요?

수지 모건스턴

Susie Morgenstern

1

상상할 수 없는 선물

개학 전날, 막시밀리앙 알렉상드르 할아버지가 우리 집에 저녁을 먹으러 왔어요. 할아버지는 조끼까지 갖춘 양복을 입고 수많은 나비넥타이 가운데 하나를 정성스레 골라 맸어요. 할아버지는 똑같은 나비넥타이를 결코 두 번 매는 법이 없어요. 나비넥타이가 한 500개 정도 될 거예요.

할아버지는 이렇게 격식을 갖춰 식사를 하면 내가

중요한 한 해를 잘 시작할 수 있다고 생각해요. 그래서 한 번도 거르지를 않았지요. 할아버지 말대로 난 고작 '작은 학교'에 다니는 초등학생인데도, 할아버지는 늘 "네 미래는 이제부터 시작이야."라고 말해요.

난 그 '이제'가 대체 언제인지 묻고 싶지만, 물어볼 용기는 없어요.

할아버지는 내가 유치원에 들어갈 때도 따라왔고, 초등학교에 들어갈 때도 따라왔어요. 내일 초등학교 2학년에 올라가는 첫날에도 학교까지 바래다줄 거예요. 중학교에 들어갈 때도 그런다면 난 진짜 창피할 거예요.

할아버지는 키가 무척 크고(184센티미터!), 등은 조금밖에 안 굽고, 기품이 있어요. 당나귀처럼 큰 귀와…… 톡톡 튀는 색깔을 한 할아버지의 영원한 나비넥타이만 빼면요.

막시밀리앙 알렉상드르 할아버지와 난 지금 교문 앞에 있어요. 할아버지는 어른들처럼 나와 악수하려고 손을 내밀었어요.

"한 해 동안 공부 잘하면 할아버지가 큰 선물을 주마."

이제껏 학교에 다니면서 처음 듣는 이상한 소리라 난 어리둥절했어요. 할아버지는 내가 우등생이라는 걸 알아요. 1등을 못하면 적어도 2등을 했다는 것도 알고요. 할아버지는 내가 공부를 못할 수 없다는 걸 잘 알아요. 내가 학교를 좋아하고 학교도 날 좋아한다는 것도요! 난 알아서 공부를 잘해요. 공부 잘하라고 굳이 선물을 내걸 필요가 없다고요.

난 할아버지를 물끄러미 바라봤어요. 할아버지도 내가 자기를 이상하게 생각한다는 걸 알았어요. 할아버지는 종종 늙는다는 건 기분 좋은 일이 아니라고 하지만, 학기마다 1, 2등을 번갈아 하는 것도 그렇게 좋지는 않아요. 그런 생각을 하면서 할아버지의 손을 봤는데, 손이 참 쭈글쭈글해요. 살 밑으로 지렁이가 꿈틀거리는 것처럼 퍼런 핏줄이 다 보였지요. 갑자기 할아버지가 불쌍해 보였어요. 난 발꿈치를 들어 할아버지 뺨에 재빨리 뽀뽀를 하고는 교문 안으로 달려갔어요.

그래도 할아버지가 한 약속이 신경 쓰였어요. 나도 모르게 엄청나게 좋은 선물을 꿈꾸기 시작했지요. 대체 어떤 선물일까요?

내 방에는 컴퓨터가 있어요. 거실에는 텔레비전이 있고, 게임기가 있고, 다른 것들도 많아요. 나는 딱히 없거나 갖고 싶은 물건이 없어요. 그래요, 우리

엄마 아빠는 내가 사 달라는 건 다 사 줘요. 내 친구들도 다 그런데요, 뭘. 우리는 웬만한 건 다 갖고 있어요. 없는 게 없다고요!

그래서 내가 좋아할 만한 선물이 뭐가 있을지 상상이 안 돼요. 아예 상상도 못할 물건이면

모를까요! 가게에서는 살 수 없는 거 있잖아요.
과거를 거슬러 올라가거나 미래로 날아갈 수 있는
타임머신처럼요.

2
쓸모 있는 선물

막시밀리앙 알렉상드르 할아버지가(할아버지는 꼭 성과 이름을 다 갖춰서 부르라고 해요) 한 학년이 끝날 무렵에 선물을 약속한 건, 아마 어린 시절의 기억 때문일 거예요. 옛날 우등생들은 그 무렵에 금박을 입힌 두툼한 책을 상으로 받았거든요. 그런 책들은 곧바로 책장에 꽂혀 평생 먼지만 먹고 살지요. 할아버지는 자기가 우등생이었다는 사실을

1 2 3 4

증명하는 책장을 여러 번 보여 주었어요. 영원한 고독 속에 버려진 책들을 내가 한번쯤 꺼내 읽어 보길 넌지시 권하면서요.

그런 선물이라면 됐어요. 나한테는 쓸모없는 선물이에요. 어차피 줄 거라면 쓸모 있는 선물이 좋아요. 예전에 한번은 손전등을 선물 받았고, 한번은 여러모로 쓸 수 있는 스위스 칼을 받았어요. 스위스 칼은 공항에서 비행기를 탈 때 검사원에게 뺏기고 말았지만요.

내가 진짜로 갖고 싶은 건 휴대 전화예요. 하지만 엄마 아빠는 내가 중학교 3학년이 될 때까지 안 사 주겠대요. 할아버지의 약속 뒤로, 난 맘에 드는 선물을 골라 보느라 가게 진열장을 유심히 들여다보는 버릇이 생겼어요. 그곳은 쓸모 있는 선물이 가득한 세상이니까요.

학교에서 첫 번째 수학 시험을 봤어요. 난 20점

만점에 20점을 받았어요. 뿌듯했어요. 조그만 실수도 하지 않았다는 증거니까요. 그래도 선물 생각이 머릿속을 떠나지 않았어요. 한번은 사람들이 이렇게 물었어요.

"요정이 세 가지 소원을 들어준다면, 넌 어떤 소원을 빌래?"

한 가지 소원이라도 들어준다면, 난 투명인간 같은 특별한 힘을 갖고 싶어요. 하지만 내 입에서 튀어나온 말은 늘 엄마 아빠한테서 듣던 건강, 행복, 세계 평화였어요. 그런데 이런 건 선물 상자에 담을 수 없잖아요. 게다가 이 세상과 여기서 사는 사람들을 보면 이루어질 수 있는 소원도 아니에요.

난 욕실 용품을 받으면 어떨까 하는 생각에 인테리어 소품 가게에 들어갔어요. 거품이 나오는 욕조나 독특하게 생긴 수도꼭지 같은 거 말이에요. 쓸모 있고 기분 좋은 선물이잖아요. 난 가게 안에서 가구를 파는 곳도 돌아봤어요. 의자마다 앉아 봤지요. 흔들의자가

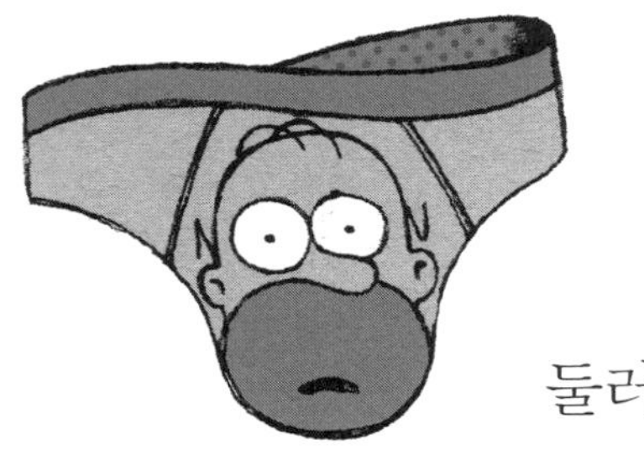

맘에 들었어요. 수건을 파는 곳에서는 비치 타월이 괜찮았어요. 속옷 코너도 둘러봤어요. 팬티를 안 입고 학교에 갈 수는 없잖아요. 배트맨 팬티와 심슨 팬티가 눈에 띄었어요. 우주복처럼 생긴 잠옷도 구경했어요. 이 모든 걸 가진다고 상상하니 괜히 기분이 좋아졌어요.

그런데 한편으로는 쓸모는 없더라도 환상적이고 꿈 같은 선물이 더 괜찮을 것 같다는 생각이 들었어요.

막시밀리앙 알렉상드르 할아버지는 한 달에 한 번 레스토랑에서 맛있는 점심을 사 줘요. 우리는 패스트푸드점이 아닌 근사한 레스토랑에서 족히 두 시간을 보내지요. 할아버지는 늘 내게 새로운 요리를 맛보게 해요. 난 그 시간이 참 좋아요. 할아버지가 좀 점잔을 부리긴 해도 같이 식사하는 건 즐거워요. 할아버지는 내게 질문을 던지고 대화를 이끌어 가요. 할아버지가 정확하게 쓰는 우리말은 참 듣기 좋아요.

그런데 오늘따라 할아버지가 거의 먹지를 않았어요. 배가 아픈지 배를 움켜잡았지요. 할아버지는 76살이에요. 난 할머니가 돌아가신 뒤로 우리가 같이 살 수 있는 시간이 정해져 있다는 걸 깨달았어요. 만약 할아버지가 프랑스에서 가장 오래 산 할머니만큼 살 수 있다면, 앞으로 37년은 끄떡없어요. 난 참 못되고, 이기적인 애예요. 2학년이 끝나기 전까지는 할아버지가 안 돌아가셨으면 좋겠거든요. 그 선물 때문에요…….

"선물 말인데요, 막시밀리앙 알렉상드르 할아버지. 생각해 놓은 게 있으세요?"

"그럼. 그런 게 있지."

"귀띔 좀 해 주시면 안 돼요?"

난 할아버지의 말투를 흉내 내며 물었어요.

"되고말고. 얌츄치클을 줄 거야."

난 그게 뭔지 감히 물어보지 못했어요. 나처럼 단어를 잘 모르는 아이들에게는 사전이 있으니까요.

식사가 끝나자, 할아버지는 날 잠자코 쳐다봤어요. 난 얌츄치클이 뭘까 골똘히 생각하는 바람에 가장 중요한 말을 까먹고 말았지요. 결국 할아버지가 한 소리 했어요.

"신은 너한테 오늘까지 수많은 시간을 줬어. 그런데 넌, '고맙다' 라고 말하는 데 단 1초라도 쓰는 게 아까운 거니?"

할아버지는 고맙다는 말을 안 하면 되게 싫어해요.

만약 얌츄치클이 제때 해야 할 일을 알려 주는

시계라면, 시계의 말을 듣지 않으면 멈춰 버리는 시계라면, 세상의 비밀을 속삭이는 시계라면 얼마나 좋을까요…….

3

살려 주세요!

새 학년이 시작되고도 한참이 지난 어느 저녁, 내가 탄 승강기가 또 말썽을 부려 4층과 5층 사이에서 멈추고 말았어요. 이런 일이 한두 번이 아니라서 난 겁먹거나 당황하지 않았어요. 이 답답한 공간에 빛이라도 좀 있으면 숙제라도 할 텐데. 그런데 몸에 갑자기 다급한 신호가 왔어요. 난 움직일 수가 없었어요. 다리를 비비 꼬며 온 힘을 다해 참았지요. 막시밀리앙 알렉상드르 할아버지가 했던 말이 떠올랐어요.

'아플 땐 노래를 불러.'

난 노래하지 않았어요. 대신 고래고래 소리를 질렀지요.

"살려 주세요!"

난 빨간 버튼을 마구 눌렀어요. 아무 소리도 나지 않았지요. 이 고통스러운 상황을 잊으려고 애를 썼어요. 여기다 오줌을 싸면 어떻게 하지요?

참아야 해. 막시밀리앙 알렉상드르 할아버지는 돈이 많은 것보다 참을성이 많은 게 낫다고 했어요. 하지만 지금 이 순간에는 둘 중 어느 것도 도움이 되지 않았어요. 고장 난 승강기나 하루 빨리 고쳐 주면 좋겠어요.

난 겨우겨우 땅바닥에 앉았어요. 오줌을 쌀까 봐 여전히 겁이 났지만 그래도 앉으니까 좀 나았어요.

반쯤 졸기까지 한 것 같아요.
난 얌츄치클을 떠올렸어요.
얌츄치클이 어디에나 가지고
다닐 수 있는 작은 휴대용
변기라면 얼마나 좋을까요?
세상에 그보다 더 좋은 선물은
없을 거예요.

잔뜩 쭈그리고 있자 점점 기운이 빠지고, 진짜로 아프기 시작했어요. 게다가 추워서 더 참기 힘들었어요. 우리 아파트는 6층까지 있는데, 층마다 두 집씩 있어요. 이 멍청한 승강기가 죽어 가는 인질을 잡고서 하늘과 땅 사이에 붕 떠 있는데, 왜 아무도 모르는 걸까요? 도무지 이해가 안 돼요.

난 다시 소리를 지르기 시작했어요. 휴대 전화라도 있으면 엄마 아빠나 경찰이나 관리실 아줌마나 구조대에게 전화했을 텐데. 아니, 더 간단하게 승강기 안에 적힌 번호로 곧바로 전화했을 텐데.

난 사자처럼 37번이나 울부짖었어요.

순간, 발자국 소리가 들렸어요. 아빠 목소리예요.

"움직이지 마, 보리스!"

아빠도 참, 내가 여기서 어디에 간다고요?

갑자기 불이 들어오고, 승강기가 움직였어요. 난 5층 버튼을 꾹 눌렀어요. 우리 층에 도착했어요.

문이 열리자, 아빠가 숨을 헐떡이며 서 있었어요.

"퓨즈가 나갔었어."

나는 아무 말도 하지 않았어요. 집에 들어가자마자 곧장 행동에 들어갔지요. 정신적으로 꽤 충격을 받은 듯이 굴었어요. 저녁 내내 아무 말도 하지 않았지요. 작전은 성공이었어요. 엄마 아빠는 휴대 전화가 있었으면 이런 일도 없었을 거라고 한바탕 말다툼을 벌였어요.

결국 내가 바라던 대로 됐어요. 엄마 아빠는 가장 싼 요금제로 휴대 전화를 사 주기로 했어요. 이런 일을 두고 '전화위복' 이라고 하지요! 얌츄치클보다 훨씬 나은 것 같아요!

그래도 난 할아버지 선물이 뭘까 여전히 궁금해요. 어쩌면 얌츄치클은 사고를 미리 알려 주고, 사고를 못 막더라도 피해를 줄여 주고, 어떻게든 잘 마무리되게 도와주는 물건이 아닐까요?

4

마법 같은 선물

선물에 대한 기대는 계속해서 머릿속을 떠나지 않았어요. 나는 학교에 가고, 숙제를 하고, 친구들과 놀고, 여느 때와 다름없이 지냈지요. 하지만 내가 받을 그 엄청난 선물이 뭘까 종종 멍하니 상상에 빠졌어요. 할아버지가 주는 거라면 진짜 좋은 선물일 거예요.

옛날에 할아버지가 레지스탕스(제2차 세계 대전

중에 독일군에 맞선 프랑스 지하 운동 조직 : 옮긴이)
였다는 건 할아버지한테 들어서 안 게 아니에요. 난
그냥 할아버지가 영웅이었다는 걸 알아요.
할아버지는 아빠의 아빠지만, 엄마도 할아버지를
자기 아빠처럼 생각하며 존경했지요.

할아버지는 영혼도, 마음도
귀족이라고 엄마가 말했어요.
그런데 귀족같이 점잖은
할아버지의 마음이 또다시 두근거리기
시작했어요. 할아버지가 한 달에 한 번
나랑 점심 먹는 약속을 취소한 거예요.
처음에는 왜 그런지 몰랐어요. 그런데
할아버지한테 여자 친구가 생겼대요! 할아버지가
사랑에 빠졌어요. 하긴 뭐, 이런 일은 정기적으로
일어나요. 여자 친구가 생기면 할아버지는 날

챙기지 않지요. 이번 사랑만큼은 학년 말이 오기 전에 끝났으면 좋겠어요!

76살에 사랑에 빠진다니, 말이 돼요?

그리고 한 달이 지났어요. 할아버지는 나한테 할아버지의 여자 친구를 같이 만나지 않겠느냐고 물었어요. 우리는 다 같이 레스토랑에 갔어요. 할아버지는 나에게 미안하다고 하려는 것 같았어요.

"너도 알겠지만, 난 누구보다도 네 할머니를 사랑했단다. 지금도 물론 사랑하고. 하지만 난 지금의 내 삶도 사랑해! 사랑도 사랑하지! 사랑이야말로 삶의 진정한 선물이란다."

학년 말 선물이 사랑은 아니었으면 좋겠어요!

할아버지의 여자 친구, 알마나 할머니는 할아버지보다 젊고, 명랑하고, 상냥했어요. 할아버지가 지금껏 만난 할머니들은 모두 나한테 상냥했지요. 왜 그런지는 나도 모르겠어요.

음식이 너무 맛있어서 난 그만 먹을 수가 없었어요. 학년 말 선물이 너무 많이 먹으면 음식을 못 집게 말리는 마법의 포크거나, '그만!' 이라고 외치는 접시면 어떨까요?

어쩌면 막시밀리앙 알렉상드르 할아버지는 내가 세상에서 가장 갖고 싶어 하는 선물을 찾아낼지도

몰라요. 바로 순간 이동 장치예요! 내가 가고 싶은 곳을 말하고 손잡이를 잡아당기면, 순식간에 그곳으로 이동하는 거예요.

그러면 길이 막힐 때 차 안에서 시간 낭비 안 해도

되고, 기차도 비행기도 필요 없잖아요. 그런 마법 같은 선물을 받는다면 얼마나 좋을까요…….

5

'환상적인'

엄마는 내가 책을 많이 읽지 않아 어휘력이 부족하다고 걱정했어요. 하지만 담임선생님이 '환상적인' 이란 말을 썼을 때, 난 그 말이 너무 맘에 들어서 곧장 써먹었어요. 엄마가 저녁 식사로 퐁듀(치즈를 녹여서 빵이나 소시지를 찍어 먹는 요리 : 옮긴이)를 내놓자, 난 "엄마의 퐁듀 솜씨는 환상적이에요!"라고 말했지요. 그 말에 엄마가

좋아하는 것 같았어요. 나중에 얌츄치클을 받을 때도 써먹을 수 있는 딱 좋은 말이에요.

환상적인! 예를 들어 햇볕이 내리쬐는 바닷가에서 샌드위치를 먹을 때가 진짜 환상적이지요. 우리처럼 북쪽 지방에 사는 사람들한테는 햇볕을 쬐는 게 환상적인 일이거든요. 달, 별, 자전거 전용 도로, 강, 산, 꽃 핀 정원, 크리스마스 날의 쇼윈도, 재미있는 영화는 물론 방학도 환상적이지요. 뭐, 개학 날도 어떻게 보면 환상적이라고 할 수 있어요.

이번에는 막시밀리앙 알렉상드르 할아버지가 할아버지 집으로 나를 초대했어요. 알마나 할머니가 맛있는 요리를 해 준대요. 할머니는 채소만 먹는 채식주의자라서 나처럼 고기를 좋아하는 애한테는 그다지 환상적인 일은 아니에요. 하지만 내가 틀렸어요. 할머니는 땅에서 나는 온갖 채소로 군침 도는 맛난 요리를 해 줬어요. 식탁은 알록달록한 색깔로 뒤덮였어요. 먹기 싫은 음식은 하나도 없었어요. 구운 피망, 상어 알을 넣은 가지, 으깬 호박, 버섯 스튜(고기나 채소를 끓여 만든 요리 : 옮긴이)가 나왔어요. 진짜로 맛있었어요!

"아유, 기특해라. 이렇게 잘 먹는 아이는 처음 봐요. 어떤 맛도 즐길 줄 아는 모험심이 있네요. 우리 손자들은 버터 파스타밖에 안 먹거든요! 그것도 억지로 먹여야 하는데."

"다 막시밀리앙 알렉상드르 할아버지 덕분이에요! 어렸을 적부터 웬만한 건 다 먹어 봤거든요."

내 말에 할머니 할아버지가 웃음을 터뜨렸어요. 그 말이 왜 웃긴지 모르겠어요.

그런데 혹시, 알마나 할머니가 내게 가장 좋은 얌츄치클을 사 주려는 막시밀리앙 알렉상드르 할아버지를 말리지는 않을지 의심스러웠어요. 할아버지가 한동안 얌츄치클 얘기를 하지 않았거든요. 아무튼 학년 말은 겨울밤처럼 금세 찾아올 거예요.

'얌츄치클' 이라는 말은 사전에
없어요. 내가 확인했어요.
인터넷으로도 찾아봤지만
없었어요. 꼭 수수께끼
같아요. 어쩌면
얌츄치클은 장난감
기계를 움직이게 하는
쪼끄만 태엽처럼
그 자체만으로 사람을
기분 좋게 하는 장치일지도
몰라요. 얌츄치클, 이 말
한마디에 힘이 나고, 웃게
되고, 행복해지잖아요. 행복에는 약간의 슬픔이
따르지만요.

6

모험

반대로 '모험' 이란 말은 사전에 있었어요.

'우연히 겪게 되는 특별한 혹은 경이로운 시험. 영웅의 능력을 알아보기 위해 주어진다. 아서 왕은 모험을 위해 길을 떠나야 했다. 이것은 선택을 받았다는 뜻이다. 모험하지 않는 자는 신앙심이 없는 자이다.'

내가 이 아서 왕에 대해 알아야 할까요?

학교

내 생활은 고작 일어나서 씻고, 먹고, 학교와 집을 오가고, 한 달에 한 번 막시밀리앙 알렉상드르 할아버지랑 레스토랑에서 식사하는 게 다예요. 그런데 모험이라니! 이렇게 틀에 박힌 생활에서 어떻게 '우연히' 모험을 할 수 있겠어요? 모험에 빠지기 위해 아서 왕처럼 집을 떠나야 할까요?

작년에 우리 교실을 찾아왔던 여자 작가 선생님은 우리가 겪은 모험을 글로 적어 보라고 했어요. 농담도 참 잘해요. 난 10분 동안 멍하니 종이만

쳐다봤어요……. 그러다 야단맞을까 봐 아무
말이나 끼적거렸지요. 우리 가족이 타려던 모로코행
비행기가 늦게 도착하는 바람에 공항에서 밤을
보냈던 일을 썼어요. 이게 무슨 모험이겠어요?
그런데 작가 선생님은 나보고 잘 썼다고 칭찬하지
뭐예요.

혹시 막시밀리앙 알렉상드르 할아버지가 선물로
모험을 주려는 걸까요? 그렇다면 얌츄치클은
아서 왕처럼 날 모험의 세계로 인도하는 말일까요?

7

최선을 다해라!

학년 말이 거의 다 됐어요. 일주일 동안 학년 말 시험을 볼 거예요. 사실 나한테 시험은 그렇게 걱정할 거리가 못 돼요. 하지만 받아쓰기는 완전히 망쳐 버렸어요. 공부를 안 해서가 아니라 원래 맞춤법에 한심하게 약하거든요. 내가 글을 쓰려고 하면 글자들이 자꾸 자기 자리에 있으려고 하지 않아요.

막시밀리앙 알렉상드르 할아버지와 점심을 먹을 때, 난 틀린 글자로 가득한 받아쓰기 시험지를 내밀었어요. 이번에는 우리 둘밖에 없었어요.

할아버지는 시험지를 쭉 훑어보며 말했어요.

“정직하게 뺨을 맞는 게 진실하지 못한 입맞춤을 하는 것보다 낫단다.”

그러고는 덧붙여 말했어요.

“네가 똑바로 걷는다면 넘어지지 않을 거야. 네 장점뿐 아니라 단점까지 보여 줬구나. 참 잘했다. 넌 정직한 아이야. 네가 자랑스러워.”

휴! 2학년을 한 번 더 다닐 수도 있는데……. 그래도 학년 말 선물은 받을 수 있겠지요? 그건 물어볼 용기가 나지 않았어요.

“맞춤법에 맞는 정확한 글쓰기는 평생 가도 못 배울 거예요!”

난 시무룩이 말했어요. 내가 형편없는 애인 것

같아 참 싫었어요.

"곰도 오래 연습하면 춤출 수 있단다."

"막시밀리앙 알렉상드르 할아버지, 솔직히 왜 이런 걸 다 배워야만 하는지 모르겠어요. 결국에는 누구나 다 죽잖아요!"

휴, 정말이지 내 친구 다비드처럼 나도 할아버지를 그냥 '할아버지'라고 다정하게 불러 보고 싶어요. 하지만 그럴 수 없어요. 할 수 없지요.

"사랑하는 손자야, 언젠가 죽더라도 잘 살아야지. 자기 나라 말도 제대로 할 줄 모르고 정확히 쓸 줄도 모르면서 인생을 잘 살 수는 없어. 그리고 자기 나라 말 말고도 배울 언어가 얼마나 많은지 모른단다."

내 접시에 담긴 음식은 참 먹음직스러웠지만, 입맛이 뚝 떨어졌어요.

식사를 마치고 디저트를 기다리는 동안 막시밀리앙 알렉상드르 할아버지는 웨이터에게 종이 한 장을 부탁했어요.
할아버지는 그 종이와
할아버지의 펜을 내 앞에
내밀었어요. 받아쓰기를
한번 해 보자고 했지요. "줄
바꾸고.", "대문자로." 등등 난
할아버지가 시키는 대로 썼어요.

"마음만 먹으면 넌 최고로 잘할 수 있어.
그러니 눈과 귀를 열어라.
지금 여기보다 더 멀리 나아갈 수 있어.
여기는 맞춤법이 신인 곳이지.
그래서 네 머릿속이 지글거릴 거야.
큰 꿈을 가져라. 자신감을 가져라.
깊이 생각해라. 부지런해라. 최선을 다해라.
인생은 단 한 번밖에 없단다."

문장은 쉬웠어요. 막시밀리앙 알렉상드르 할아버지는 발음이 정확해서 받아쓰기가 어렵지 않았어요. 나는 내가 쓴 글을 세 번 읽었어요. 세 번째 읽을 때는 단어 뜻이 분명해지고, 글이 마음에 와 닿았어요. 막시밀리앙 알렉상드르 할아버지는 종이와 펜을 도로 가져간 뒤, 내가 받아쓴 글을 읽었어요. 할아버지 얼굴에 함박웃음이 번졌어요.

"잘했다! 마음만 먹으면 넌 최고로 잘할 수 있어!"

막시밀리앙 알렉상드르 할아버지는 나한테 어떤 뜻을 전해 주려고 이 '시'를 즉흥적으로 지어낸 것 같아요. 평소에도 종종 그러거든요. 난 기분이 좋아졌어요. 다시 입맛이 생겼지요. 그래서 검은 초콜릿 바다에 떠 있는 섬 모양의 디저트 케이크를 맛있게 먹었어요.

2학년을 또 다니는 일은 없을 거예요! 얌츄치클도 받을 수 있을 거예요. 얌츄치클은 자기 약점을 돌아보고, 스스로 고칠 수 있게 도와주는 물건일지도 몰라요!

8

말도 안 돼!

학년 말을 며칠 앞둔 날이었어요. 담임선생님이 성적표를 나눠 줬어요. 등수는 적혀 있지 않았지만, 난 20점 만점에 평균 19.67점이란 뛰어난 성적을 받았어요.

난 할아버지에게 전화를 걸어 점수를 말했어요. 할아버지가 칭찬해 줬어요. 하지만 할아버지는 얌츄치클에 대해서는 아무 말도 하지 않았어요.

이제껏 열심히 공부한 게 다 무엇 때문인데요?

뭐, 할 수 없지요. 언젠가 받을 자격이 되겠지요. 아니, 꼭 받아 내고 말 거예요. 그러려면 얼마나 기다려야 할까요?

이제 학교 수업은 다 끝났어요. 난 제자리를 빙글빙글 맴돌았어요. 엄마 아빠가 퇴근하려면 아직 멀어서 텔레비전을 켰지만 재미없었어요. 음악을 들었어요. 멍하니 인터넷을 했어요. 이미 방학 여행을 떠난 친구들에게 전화도 걸어 봤어요.

벌써 학교가 그리워졌어요.

막시밀리앙 알렉상드르 할아버지는 알마나 할머니와 함께 맑은 공기를 쐬러 스위스 산에 있는 호텔에 가자고 했어요. 맑은 공기는커녕 말만 들어도 지겨운 공기가 확 느껴졌어요. 하지만 엄마 아빠는 좋아하며 내 짐을 쌌어요.

그러다 할아버지 차 트렁크에서 고급스런 포장지에 나비넥타이처럼 리본을 묶은 상자를 봤지 뭐예요. 갑자기 흥분됐어요. 빨리 스위스 산에 가고 싶어요!

그런데 우리 차가 스위스 국경선을 넘는 순간부터 비가 오기 시작했어요.

도착한 첫날은 온종일 비가 내렸어요. 내가 마신

공기라고는 호텔 휴게실을 가득 메운 답답한 공기뿐이었지요.

둘째 날도 비가 왔어요. 막시밀리앙 알렉상드르 할아버지와 알마나 할머니는 같이 카드놀이를 하자고 했지만 난 지겨워서 싫었어요.

셋째 날은 전날보다 비가 더 세차게 내렸어요. 난 눈물이 날 것 같았어요. 따분해서 죽을 것 같았지요. 차 안에서 썩고 있는 얌츄치클은 다 잊어버렸어요. 얌츄치클은 지겨움과 싸우도록 도와주는 물건일까요? 드디어 할아버지가 아침 식사 시간에 얌츄치클을 가져왔어요.

이건 상상도 못했어요.

정말 쓸모없는 물건이에요.

이게 지금 이 순간에 필요한 응급 처방일까요? 난 심심해 미칠 지경이거든요.

그래도 그렇지, 이렇게 평범하리라고는 생각도 못했어요.

정말 기가 막혔고, 처음으로 할아버지한테 실망했어요.

"막시밀리앙 알렉상드르 할아버지, 이건 얌츄치클이 아니라 그냥 책이잖아요!"

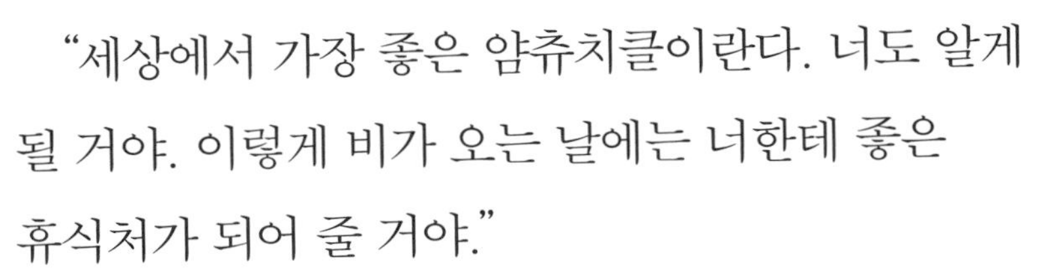

"세상에서 가장 좋은 얌츄치클이란다. 너도 알게 될 거야. 이렇게 비가 오는 날에는 너한테 좋은 휴식처가 되어 줄 거야."

할아버지는 책이 얼마나 좋은지 줄줄이 늘어놓았어요. 내가 유치원에 다닐 때부터 귀에 못이 박히도록 들은 말이에요.

정말 할아버지 때문에 못 살겠어요. 이런 빛바랜

종이 뭉치가 할아버지가 약속했던 선물이라니,
믿어지지 않았어요.

할아버지가 전보다 덜 좋아졌지만, 그래도 난 할아버지를 여전히 사랑해요. 나는 고맙다고 말하며 종이 뭉치를 받아 들었어요. 할아버지가 기대하는 건 그냥 고맙다는 말 한마디니까요. 난 내 방으로 터덜터덜 올라갔어요.

아서 왕과 원탁의 기사들이 나오는 책, 만화책, 요리책 같은 온갖 책들이 산더미처럼 있었어요.

정말 실망이에요.

1년 내내 꿈꿔 왔던 선물이 고작 책이라니!

난 눈물을 감추려고 이불을 뒤집어썼어요. 다 잊고 잠이나 자려고요. 하지만 잠이 오지 않았어요! 하는 수 없이 아서 왕이 나오는 책을 펼쳤어요. 그러다 문득 우리에게 주어진 삶은 단 한

번뿐이라는 생각이 들었어요. 단 한 번이라도 없는 것보다는 낫잖아요. 하지만 단 한 번은 두 번이나 세 번이나 네 번은 될 수 없지요. 난 이 스위스 산에서 산더미같이 쌓인 책을 물끄러미 바라봤어요. 모두 열두 권이에요. 이건 삶에서 만날 수 있는 열두 번의 기회가 아닐까요?

다음 날이 되었어요. 계속 비가 왔고, 난 계속 책을 읽었어요. 침대에서 책을 읽는 게 인생을 잘

보낼 수 있는 좋은 방법인지는 모르겠지만, 하루는 되게 빨리 지나갔어요.

따뜻한 침대에서 책을 읽는 일은 생각보다 괜찮았어요.

비는 계속 내렸어요. 난 계속 책을 읽었어요. 지겹지 않았어요. 오히려 재미있었지요. 드디어 해가 나타났어요……. 하지만 난 여전히 침대에서 책을 놓을 줄 몰랐답니다.

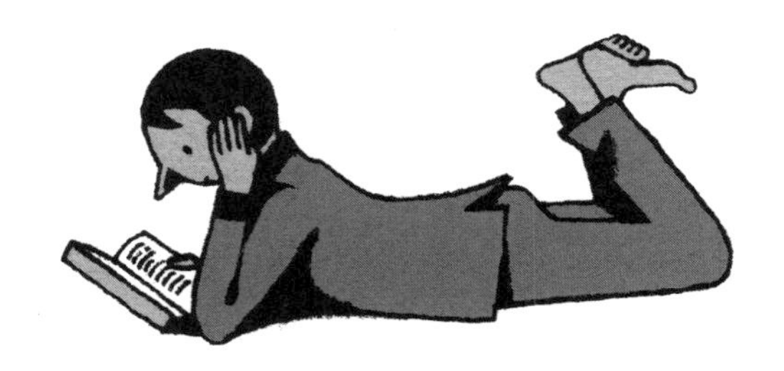

옮긴이의 말

초등학교 2학년이 되는 보리스에게 막시밀리앙 알렉상드르 할아버지는 공부를 잘하면 학년 말에 선물을 주겠다고 약속해요. 그 선물은 이름하여 얌츄치클! 공부 잘하는 보리스한테는 이상한 약속이지만, 그래도 얌츄치클이 뭘까 상상하면 마음이 설레요. 쓸모 있는 선물일까, 쓸모는 없어도 환상적이고 꿈 같은 선물일까? 아니면 순간 이동 장치 같은 기상천외한 선물일까? 그렇게 한 달, 두 달, 시간이 흘러요. 드디어 학년 말이 되어 얌츄치클을 받았는데…… 그냥 책이에요! 책이 어떻게 최고의 선물이라는 걸까요?

이 책을 쓴 수지 모건스턴 선생님은 책이 얼마나 좋은지 책이 없는 세상은 상상할 수가 없대요. 어렸을 때부터 일주일에 몇 번씩 도서관에 가서 책을 읽었고, 독서왕은 늘 선생님 차지였대요. 지금도 오로지 책밖에 안 사고, 집에는 책이 얼마나 많은지 다 읽으려면 600년은 걸릴 거라네요. 그리고 선생님은 침대에서 책 읽는 걸 참 좋아한대요. 그것도 비 오는 날, 따뜻한 침대에서 책 읽는 기쁨이란 이루 말할 수 없대요. 이 책에서 우리 친구 보리스도 그 즐거움을 알게 되지요? 책을 싫어하는 친구들이 있다면 보리스처럼 책 읽는 기쁨을 알게 되었으면 좋겠어요. 어떤 책이든 상관없어요. 명작이든, 만화책이든, 요리책이든 아무 책이나 편안하게 읽어 보세요. 그러면 우리 주인공 보리스가 느꼈던 즐거움을 여러분도 똑같이 느낄 수 있을 거예요!

이정주